ÇA, C'EST LES LIVRES ÉCRITS PAR MON MEILLEUR POTE, GREG HEFFLEY.

DANS LA SÉRIE
JOURNAL D'UN DÉGONFLÉ

ET TOI, T'AS PAS TROUVÉ MIEUX QUE DE ME COPIER ?!

JOURNAL D'UN Copain Formidable

J'AI TOUT FAIT TOUT SEUL, SANS ADULTE. LES MOTS ET LES DESSINS !

CARNET DE BORD de Robert Jefferson

DE JEFF KINNEY

TRADUIT DE L'ANGLAIS (ÉTATS-UNIS)
PAR ROSALIND ELLAND-GOLDSMITH

AH OUI ? ALORS C'EST QUI, CE MEC ?

SEUIL

Couverture : Jeff Kinney, Lora Grisafi et Chad W. Beckerman
Conception graphique : Jeff Kinney

Des extraits de cette œuvre ont été préalablement été publiés à des fins promotionnelles par Scholastic aux États-Unis et par Penguin au Royaume Unis, à l'occasion de la Journée mondiale du livre.

Première publication en anglais en 2019 par Amulet Books, une marque de Harry N. ABRAMS, Incorporated, New York.
Titre original : *Diary Of An Awsome Friendly Kid – Robert Jefferson's Journal*
(Tous droits réservés pour tous pays par Harry N. Abrams, Inc.)

Pour l'édition française, publiée avec l'autorisation de Harry N. Abrams, Inc.
© Éditions du Seuil, 2019. ISBN : 979-10-235-1286-1

Mise en page : Yves Leclere
Dépôt légal : mai 2019

Achevé d'imprimer en France par Normandie Roto Impression s.a.s. N 142381-1 (1901027)

Loi n 49-956 du 16 juillet 1949 sur les publications destinées à la jeunesse.

INFOS BARBANTES QU'ON M'A DIT DE METTRE ICI.

<u>Début de mon carnet de bord</u>
Salut, je m'appelle Robert Jefferson.
Bienvenue dans mon carnet de bord. Alors,
jusqu'ici ça vous plaît ?

Pourquoi j'ai décidé d'écrire un carnet de
bord ? Parce que Greg Heffley, mon meilleur
pote, en a un et qu'en général, on fait tout
pareil. Ah, et je précise tout de suite : Greg
et moi, on est

Vous devez vous dire : « OK, super, eh bien
dans ce cas, parle-nous de ce Greg. » Sauf
que ce livre n'est pas sur LUI. Mais sur MOI.

Je l'ai appelé *Journal d'un copain formidable* à cause de mon père, qui me dit tout le temps ça.

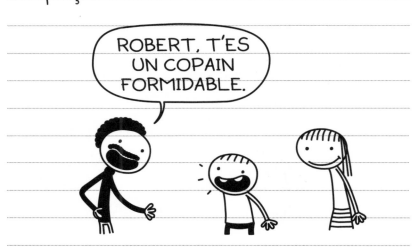

Comme je l'ai dit, en vrai, mon meilleur pote, c'est Greg. Du coup, mon père, c'est mon DEUXIÈME meilleur pote. Mais je ne lui ai jamais dit pour ne pas le blesser.

En parlant de mon père, autant préciser qu'il n'aime pas Greg. Je le sais parce qu'il le répète sans arrêt.

En fait, c'est juste qu'il ne comprend pas son humour.

Là, vous devez vous dire : « Hé, Robert, ce bouquin, il ne devait pas être sur TOI ? »
Eh bien oui, vous avez raison. Donc, à partir de maintenant, il va être beaucoup plus question de Robert dans ce livre.

Première info à mon sujet : j'habite avec mes parents au bout de la rue Surrey — la même rue que Greg (mon meilleur pote).

Je vous ai déjà parlé de mon père, mais il y aussi ma mère qui est super cool, parce qu'elle me donne des trucs sains à manger et qu'elle me rappelle de prendre des bains.

FROTTE
FROTTE

Tous les matins, je vais à l'école avec mon pote Greg. En général, on s'éclate à fond sur le chemin, mais parfois ça arrive que je l'énerve.

ARRÊTE DE SIFFLER !

Ce qui l'énerve le PLUS, c'est quand je le copie. Du coup, je vais éviter de lui parler de ce carnet de bord parce que ça va le rendre FURAX.

De toute façon, écrire un livre, c'est beaucoup de boulot, alors je m'arrête ici pour aujourd'hui. Mais demain, je parlerai un peu plus de Greg parce que, n'oubliez pas : Greg est mon meilleur pote.

Suite de mon carnet de bord

Mauvaise nouvelle : Greg a appris pour mon carnet de bord.

En fait, j'étais assez fier d'avoir un carnet de bord alors je le lui ai montré. Et, comme prévu, ça l'a rendu FURAX.

Il a dit que j'avais carrément copié sur lui et qu'il allait me faire un procès pour vol d'idée. J'ai répondu que ouais, bah, j'aimerais bien l'y voir parce qu'il était quand même pas le PREMIER mec sur Terre à tenir un journal.

Il a hurlé que c'était un CARNET DE BORD,
pas un journal ! Et il m'a tapé avec.

J'ai répondu que s'il le prenait comme ça, je
n'écrirais rien de sympa sur lui. Puis, je lui ai
montré tout ce que j'avais déjà noté.

Au début, il a pris un air saoulé parce que
j'avais oublié de dessiner les nez. Mais
après, il a dit que mon livre lui donnait une
IDÉE.

Il m'a expliqué qu'un jour, évidemment,
il serait riche et célèbre et que tout le
monde voudrait connaître son histoire.
Alors pourquoi ne pas l'écrire, moi ?

Je lui ai demandé si ce n'était pas justement le but de son JOURNAL. En fait, non. Son journal, c'est son AUTObiographie... Et mon livre serait sa biographie.

Greg est sûr qu'un jour, il existera PLEIN de biographies sur lui, mais qu'il me fait l'honneur d'être le premier à en écrire une.

Ça m'a paru une bonne idée, parce que je suis quand même son meilleur pote et que personne ne le connaît mieux que MOI.

Alors je vais recommencer ce livre depuis le début, avec un nouveau titre. Maintenant, le personnage principal, c'est Greg (et pas moi). Mais ne vous inquiétez pas, je serai là aussi.

JOURNAL
de **GREG**
HEFFLEY

par le meilleur pote
de Greg Heffley

Robert Jefferson →

JEUNESSE

Les biographies de présidents et de stars commencent toujours par le chapitre « Jeunesse ». Mon souci, c'est que je n'ai rencontré Greg qu'en CM1, du coup je ne sais pas grand-chose de son enfance.

D'après les photos que j'ai vues chez lui, Greg était un bébé plutôt normal. En tout cas, s'il a accompli des exploits quand il était petit, ça ne se voit pas trop sur les images.

Bref, mieux vaut avancer jusqu'au début du CM1, et là, les amis, ça va être la fête des détails.

Avant, j'habitais dans un autre État des États-Unis mais mon père a changé de boulot et on a dû déménager. Mes parents ont acheté une maison au bout de la rue Surrey et on s'y est installés pendant l'été.

Les premiers jours, je n'ai pas mis les pieds dehors parce que j'avais trop peur dans ce nouvel endroit.

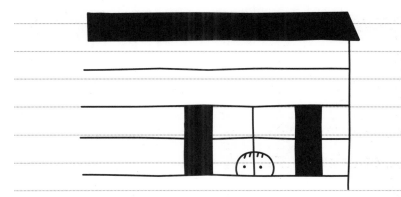

Vous vous dites certainement : « Bon, mais quand est-ce qu'il rencontre Greg ? » Patience, ça arrive.

Ma mère m'a conseillé de me faire des amis. Elle m'a même acheté un livre appelé : *Comment se faire des amis dans un nouvel endroit.*

Ce livre était truffé d'astuces, genre des blagues de « monsieur, madame » pour faire facilement des rencontres. Sauf que ça n'a pas trop marché avec Greg.

Heureusement, on est quand même devenus potes.

Je lui ai dit que j'habitais dans la nouvelle maison au bout de la rue et il m'a expliqué que c'était pas de chance parce que, avant la construction, il avait planté un drapeau sur le terrain. Et que maintenant, la maison lui appartenait, avec tout son contenu.

Le soir, mon père m'a dit que c'étaient des bêtises, et il est allé chez les Heffley récupérer mon vélo.

C'est la première fois qu'il m'a dit ce qu'il pensait de Greg.

Mais moi, Greg, je l'adore. Il enchaîne les blagues trop marrantes, comme me faire rigoler quand je bois du lait.

Et il me joue tout le temps des tours de malade qui me collent des fous rires.

Voilà, vous comprenez mieux pourquoi Greg et moi, on est meilleurs potes depuis le CM1. Je lui ai même offert un collier d'amitié mais il trouve que c'est pour les filles et il refuse de porter sa moitié.

En fait, je pourrais remplir un livre entier rien qu'avec les trucs de fous que je fais avec Greg. Mais vu que c'est sa biographie, mieux vaut passer aux précisions sur sa famille.

Greg a une maman et un papa. Ce sont des gens complètement normaux, alors je n'ai pas grand-chose à dire sur eux.

Par contre, Greg n'est pas fils unique comme moi. Il a un grand frère, Rodrick, qui joue dans un groupe de rock : les Kuch Craceuz.

Certaines de leurs chansons contiennent des gros mots, alors mes parents m'interdisent d'aller chez les Heffley quand Rodrick a répèt'.

Greg a aussi un petit frère qui s'appelle Manu et qui a trois ans. Et allez savoir pourquoi, la première fois que j'ai été invité à jouer chez lui, Manu m'a montré ses fesses — comme ça, sans raison.

Depuis, à chaque fois que je le vois, il fait comme si on partageait un grand secret, lui et moi. Ça me met super mal à l'aise.

Voici la fin de la première partie de la biographie de Greg. Vous vous dites : « Bon, Robert, ça arrive quand, les trucs palpitants ? » Eh bien, accrochez-vous, parce que justement, ça va commencer.

LA PREMIÈRE FOIS QUE
J'AI DORMI CHEZ GREG

Après ma rencontre avec Greg, je l'ai invité à jouer plusieurs fois chez MOI et il m'a invité quelques fois à jouer chez LUI. Ah, mince, j'avais oublié : il déteste le mot « jouer ». Je vais changer ça vite fait, ou il va encore me mettre une tarte.

Bref, Greg et moi, on traînait souvent chez l'un, chez l'autre... jusqu'au jour où il m'a invité à DORMIR.

Au départ, j'étais ultra stressé, parce que je n'avais jamais dormi chez un copain. D'ailleurs, même à la maison, je dormais dans le lit de mes parents parce que j'avais trop peur dans mon PROPRE LIT.

Ma mère m'a UN PEU rassuré en me rappelant que je pouvais emporter Doudou-Carotte.

Quand je suis arrivé chez Greg, on s'est amusés dans sa chambre jusqu'à 21 h, puis Mme Heffley a dit qu'il était l'heure d'aller dormir... dans celle du SOUS-SOL. Alors là, ça m'a carrément angoissé parce que, les sous-sols, je ne connais rien de plus glauque.

Dès que Mme Heffley a éteint la lumière,
Greg a dit qu'il devait m'avertir d'un truc...
Qu'une bête redoutable, mi-homme, mi-
chèvre, rôdait dans la forêt voisine et qu'il
ne fallait jamais sortir seul la nuit.

Entre nous, je n'étais pas franchement
RAVI d'apprendre cette nouvelle. J'aurais
préféré que mes parents aient été mis au
parfum avant de s'installer dans le quartier.

Bref, le coup de la chèvre m'a fait flipper
et je me suis caché sous la couette. Greg a
dû bien flipper aussi parce qu'il s'est caché
EN MÊME TEMPS.

Après, il y a eu des bruits trop bizarres dehors — exactement l'appel d'une bête mi-homme, mi-chèvre.

Évidemment, on n'avait aucune envie de se faire dévorer par l'Homme Chèvre alors on a filé aussi vite que possible.

Mais on a quand même failli mourir dans l'escalier, à force de se marcher dessus.

On s'est planqués dans la buanderie pour échapper à l'Homme Chèvre. Et c'est là qu'on a compris que le bruit n'avait RIEN à voir avec une chèvre mangeuse d'enfants. C'était Rodrick, le grand frère de Greg, qui nous faisait flipper exprès.

Je préfère vous avertir : la suite est gênante. Mais comme ce livre est une biographie, je suis obligé de dire toute la vérité, rien que la vérité. Au moment où on avait entendu les bruits dehors, j'avais fait pipi dans mon pyjama.

Mme Heffley m'a donné un caleçon de rechange mais il était trop petit. Résultat : mon père a dû venir me chercher en pleine nuit.

Il a fallu du temps avant que je retourne dormir chez Greg. Mais ça, c'est une TRÈS LONGUE histoire. Même pas sûr qu'il y ait assez de place dans ce carnet pour vous raconter.

LA FOIS OÙ J'AI SAUVÉ GREG DE L'ANNIVERSAIRE DE KEVIN LARKIN

Il y a un garçon qui habite près de chez nous, il s'appelle Kevin Larkin et, l'été dernier, sa maman nous a invités à son anniversaire, Greg et moi. On n'avait pas envie d'y aller parce que Kevin est hyperactif. Mais nos mères ont dit qu'on était OBLIGÉS.

En fait, on était les SEULS invités mais ça, on ne l'a su qu'en arrivant.

On a offert ses cadeaux à Kevin et ensuite Mme Larkin a dit qu'on allait faire des activités.

La première, c'était de regarder un film sur un mec qui se transforme en ours, en aigle et en plein d'autres animaux.

À la fin, Kevin voulait le REVOIR. Mais Greg et moi, on a dit qu'on n'avait pas envie alors sa mère a proposé de faire une autre activité, par exemple le jeu de la queue de l'âne.

Sauf que ça a rendu Kevin complètement MABOULE.

Il est parti en vrille en imitant le mec du film qui se transformait en animaux.

Sa mère était sûrement habituée à ce genre de réaction. Mais Greg et moi, on ne savait pas quoi faire. On a demandé à Mme Larkin si elle pouvait nous raccompagner chez nous mais elle a dit qu'il restait encore deux heures de fête.

Alors on s'est éclipsés dans le jardin et on a attendu que Kevin se calme.

L'ennui, c'est qu'il nous a trouvés. Et qu'il était en plein pétage de plombs.

J'ai reculé pour m'éloigner et c'est là que je suis tombé dans un énorme trou... heureusement, pas trop profond, sinon je me serais cassé un truc. Mais quand je me suis relevé, j'ai entendu un horrible bourdonnement.

Il y avait un NID DE FRELONS au fond du trou ! Et les frelons étaient déchaînés.

Je me suis fait piquer douze fois, dont
deux dans la bouche.

BZZZZZZZ

Mme Larkin m'a ramené chez moi et Greg
a réussi à se faire embarquer aussi.

Depuis, il répète tout le temps que je
l'ai sauvé de cette fête et qu'il m'est
« redevable ». Je le note dans ce livre au
cas où il aurait besoin d'un petit rappel.

RÉALISATIONS DE GREG

Dans toutes les bios que j'ai lues, il y a un chapitre « réalisations », alors je l'ajoute ici avant d'oublier.

Le souci, c'est que Greg est encore un enfant. Du coup il n'a pas encore réalisé grand chose. Je vais donc laisser de la place et je compléterai la liste plus tard.

1.
2.
3.
4.
5.
6.
7.
8.
9.
10.

LA FOIS OÙ ON A TROUBLÉ LA PAIX D'UN ANCIEN CIMETIÈRE

Un conseil : si l'histoire de l'Homme Chèvre vous a fait peur, sautez cette partie.
À ceux qui sont toujours là : vous êtes prévenus, les amis.

Une fois, Greg et moi, on jouait aux Vikings et aux ninjas dans la forêt, et une bande d'ados genre voyous est passée par là.

ET CE N'EST MÊME PAS ÇA QUI FAIT PEUR ! Alors, continuez à lire.

On s'est éloignés plus loin dans les bois et
Greg a proposé de construire un fort
pour se protéger des jeunes au cas où ils
reviendraient.

On a donc passé le reste de l'après-midi
à bâtir une forteresse en branches et en
bâtons.

Greg a voulu mettre des pierres dedans
pour qu'on ait des munitions au cas où ça
tournerait VRAIMENT mal. Seulement, il
commençait à faire sombre et on ne voyait
pas des masses de pierres dans les parages.

À ce moment-là, j'ai trébuché sur... devinez quoi ? Une grosse PIERRE.

Rien qu'à la douleur, j'ai su que je m'étais foulé la cheville. Mais Greg s'inquiétait plus pour la pierre que pour ma blessure.

Il disait que ce n'était pas une simple pierre mais une PIERRE TOMBALE, et que j'avais troublé la paix d'un ANCIEN CIMETIÈRE !

Vous aviez deviné, pas vrai, vu que c'était précisé dans le titre du chapitre ? Je changerai ça plus tard, pour maintenir le suspense.

Bref, cette histoire d'ancien cimetière nous a collé la trouille, surtout qu'à ce stade, il faisait MÉGA sombre, et qu'on avait encore plus peur. Là-dessus, Greg a oublié que j'avais la cheville foulée et il a détalé, sans que je puisse le suivre.

ZOU

J'ai attendu... attendu... mais il n'est jamais revenu.

Coup de bol : mes parents ont appelé chez les Heffley pour savoir où j'étais et Greg s'est souvenu que j'étais toujours dans les bois.

Et, voyez à quel point ce mec est un bon pote, il leur a prêté sa torche électrique et les a orientés dans la bonne direction.

HISTOIRE ENCORE PLUS FLIPPANTE

Puisque je suis dans le dossier « épisodes flippants », je vais vous raconter un truc qui s'est passé il y a deux ans.

J'étais en week-end dans la maison de mes grands-parents. On était allés se promener dans les bois et je m'étais pas mal sali. En fait, la maison appartient maintenant à mon père vu que mon grand-père est mort.

Mon grand-père, je l'appelais « Bampi », parce que quand j'avais deux ans je n'arrivais pas à prononcer le mot « Papy ».

En grandissant, j'ai appris à dire « Papy »,
mais personne ne voulait plus que je change
de nom. Et, à la fin de sa vie, mon grand-
père ne prononçait que ce mot-là.

Bref, revenons à notre histoire. Quand on
est rentrés de la balade, papa m'a dit d'aller
me doucher.

Sauf que la maison de Bampi est méga
vieille et qu'il n'y a PAS de douche. Juste
une horrible vieille baignoire.

J'ai rempli la baignoire et je me suis mis dedans, et VOICI ce qui s'est passé. J'ai entendu des pas dans le couloir. J'ai cru que c'était papa qui m'apportait une serviette ou un truc du genre.

POUM

POUM

POUM

PAPAAA ?

La porte s'est ouverte suuuuuuuper lentement et vous savez quoi ? IL N'Y AVAIT PERSONNE.

CRIIIII

J'ai sauté hors de la baignoire et j'ai couru partout dans la maison pour trouver mon père.

Si vous vous dites : « Mais, Robert, le truc de la porte, c'était ton père qui te faisait une blague »... Eh bien, PAS DU TOUT.

Papa était parti acheter du lait à l'épicerie et il n'est rentré qu'une demi-heure plus tard.

Je lui ai raconté le coup de la porte qui s'ouvrait toute seule et il a répondu que c'était probablement le vent.

Mais moi, je savais que c'était... le FANTÔME DE BAMPI !

LA FOIS OÙ GREG M'A FAIT LE MEILLEUR CANULAR DU MONDE

Il n'a pas été beaucoup question de Greg dans le dernier chapitre, mais j'ai préféré parler du truc de Bampi, car cette histoire m'a vraiment FICHU LES JETONS.

Si vous aimez les histoires qui font peur, ça tombe bien : celle-ci n'est pas mal non plus.

Un jour, j'étais à la maison avec Greg. Il m'a raconté qu'aux infos, on parlait d'un voleur qui cambriolait les maisons du quartier.

Puis il est rentré chez lui pour dîner et, dès qu'il est parti, j'ai commencé à avoir la trouille parce que mes parents n'étaient pas là.

Le truc (je l'ai appris plus tard, évidemment), c'est que Greg avait juste FAIT SEMBLANT de s'en aller. Il avait claqué la porte mais, en réalité, il était resté dans ma maison.

Il a enlevé ses chaussures et il a grimpé l'escalier super discrètement.

Puis il a marché comme un éléphant à l'étage. Au début, j'ai cru que c'était à nouveau le fantôme de Bampi.

Mais ensuite, je me suis rendu compte que c'était forcément le VOLEUR dont m'avait parlé Greg, et j'ai failli faire pipi dans mon pantalon pour la deuxième fois de cette biographie.

Dès que j'ai entendu les pas descendre les marches, j'ai couru dans le garage pour échapper au bandit.

Il avait beau faire NUIT NOIRE dans le garage, je me suis dit : Pas question de bouger d'un millimètre. Je voulais être cent pour cent certain que le type était parti.

Soudain, la porte s'est ouverte lentement... J'étais sûr que le cambrioleur me verrait si je ne réagissais pas. Alors je lui ai écrasé la raquette de tennis de mon père en pleine face, et je me suis sauvé.

J'ai foncé chez Mme Monroe, la voisine, pour qu'elle appelle les FLICS.

Greg est sorti à ce moment et j'ai enfin pigé que cette affaire n'était autre qu'une de ses super blagues.

Greg est resté furax pendant deux semaines. Il répétait que j'aurais dû capter d'après ses bruits de pas que c'était LUI, et pas un voleur.

Il n'a sans doute pas tort : j'aurais dû m'en douter vu qu'il me joue toujours des tours de dingue. Du coup, je m'en veux un peu de lui avoir écrasé la raquette en pleine face.

Mais en fait, pas vraiment.

UNE AUTRE FOIS OÙ GREG
S'EST FÂCHÉ CONTRE MOI

L'histoire d'avant m'a fait penser à une autre fois où Greg s'est fâché contre moi.

On rentrait du collège, il y a quelques mois, et il y avait des limaces partout parce qu'il avait plu la veille. Le truc, c'est qu'à chaque fois qu'il voit une limace, Greg me pourchasse avec.

Bien sûr, c'est assez marrant quand on y pense. Mais pas trop quand ça vous arrive.

La bonne nouvelle, c'est que je suis super
rapide quand on me pourchasse avec une
limace. Du coup, j'ai échappé à Greg en
grimpant sur un rocher devant chez M. Yee.

Greg a tout essayé pour me faire descendre
mais c'était niet.

SI TU DESCENDS,
JE NE TE
FORCERAI PEUT-ÊTRE
PAS À MANGER
CETTE LIMACE.

Il a voulu me la jeter dessus, sauf qu'il a
perdu l'équilibre et qu'il est presque tombé
dans une énorme flaque. Après, il était
coincé et ça m'a fait de la peine parce que,
quand même, c'est mon meilleur pote.

Je suis descendu pour lui donner un coup de main. Il m'a demandé de l'aider à « reprendre pied » mais j'ai mal compris.

Moi, je lui ai PRIS les pieds... ce qui, je l'ai compris trop tard, était une idée ultra débile.

Je n'imagine même pas ce que Greg
m'aurait fait en se relevant... Comme je
n'avais pas l'intention d'attendre bêtement
pour le savoir, j'ai foncé chez moi et je me
suis enfermé. Je n'en suis pas sorti avant
que Mme Heffley appelle Greg pour dîner.

Le lendemain, il m'a prévenu que sa vengeance
arriverait « quand je m'y attendrais le
moins ». J'espère qu'il va oublier parce que, en
la matière, Greg est assez inventif.

LA FOIS OÙ GREG A CRÉÉ UN PRIX RIEN QUE POUR MOI

Les deux précédents chapitres racontent des moments où Greg s'est super énervé contre moi. Dans celui-ci, c'est tout L'OPPOSÉ.

Je vais vous raconter la fois où j'ai fait un truc tellement génial que Greg M'A fait un truc vraiment génial en retour.

C'était cet automne, un samedi. Je l'avais invité à la maison mais il m'a appelé pour dire qu'il devait d'abord ranger son garage. Il a précisé que ça prendrait deux fois moins de temps si je venais l'aider. J'ai dit non merci, je préférais attendre.

Mais il a insisté : si je l'aidais, il me filerait la moitié de ses bonbecs d'Halloween.

C'était une sacrée offre car mes parents avaient passé en revue tous mes bonbons d'Halloween et ne m'avaient PRESQUE RIEN laissé.

Greg, lui, en avait encore une tonne parce que ses parents s'en FICHENT. Du coup, j'ai dit : OK, j'arrive.

Son garage était un énorme BAZAR et on a mis facilement trois heures à tout ranger.

À la fin, Greg a juste dit : C'est bon, maintenant, on peut aller chez toi.

J'ai répondu : Euh, et les BONBONS alors ? et il a dit : Ah ouais, j'avais oublié. En réalité, je m'y attendais parce que Greg oublie toujours, quand il me doit quelque chose.

On est montés dans sa chambre et il a sorti un sac de son placard.

Mais, quand il l'a vidé par terre... il n'y avait presque plus de bonbons ! Rien que des PAPIERS !

En gros, il RESTAIT trois berlingots et une petite boîte de raisins secs. J'ai rappelé à Greg qu'il m'avait promis UNE TONNE de bonbecs et il m'a répondu : Non, seulement LA MOITIÉ. Et ensuite : Mais une promesse est une promesse, voici un berlingot et la boîte de raisins secs.

J'ai menacé d'aller tout raconter à sa
MÈRE et ça l'a fait flipper. Il ne voulait pas
qu'elle sache qu'il avait déjà mangé tous ses
bonbons.

Du coup, il a changé de discours et m'a dit
qu'il allait me donner un truc BIEN PLUS
COOL que des bonbons. Il s'est assis à son
bureau avec une feuille et un crayon.

Puis il m'a tendu la feuille et voici ce qu'il avait écrit :

Il m'a expliqué que ce prix était RARISSIME et qu'il fallait avoir fait un truc trop SYMPA pour le mériter.

Et que j'étais un sacré GROS VEINARD parce que c'était la première fois qu'il l'attribuait, et qu'un jour, ce simple morceau de papier vaudrait de l'or.

Bien sûr, je voyais clair dans son jeu : il essayait de me faire oublier le coup des bonbecs. Alors j'ai fait semblant de trouver son histoire de prix super nulle. Mais, allez savoir comment, il a compris qu'en fait, je trouvais ça COOL.

Ça, c'est la PREMIÈRE fois que j'ai reçu le Prix du Gentil Garçon. Au fil du temps, j'en ai obtenu PLEIN d'autres. Greg m'en filait un nouveau à chaque fois que je lui rendais un service.

J'ai fini par me retrouver avec UNE TONNE de Prix du Gentil Garçon, que je rangeais dans un classeur pour qu'ils ne se perdent pas.

Et je me suis rendu compte que, finalement, ils n'étaient peut-être pas SI rares que ça vu que j'en avais autant. L'autre chose qui m'a mis la puce à l'oreille, c'est que Greg les dessinait de plus en plus vite.

Du coup, un jour, quand il m'a appelé pour que je ratisse les feuilles dans son jardin, je lui ai dit : Non, je dois faire mes devoirs.

Il m'a expliqué que c'était dommage parce qu'il venait de créer un nouveau Prix du Gentil Garçon et que c'était bien triste que je ne le voie pas.

J'ai répliqué qu'il aurait pu AU MOINS m'en parler, mais il m'a expliqué que c'était IMPOSSIBLE parce que c'était top secret et qu'en plus, il ne voulait pas gâcher la surprise.

Là-dessus, il a dit qu'il allait appeler Scotty Douglas pour qu'il l'aide à ratisser les feuilles, alors j'ai réagi direct : OK, j'arrive.

J'avoue que j'aurais préféré savoir à l'avance qu'on devrait déblayer la pelouse de devant ET celle de derrière. En plus, je me suis tout tapé seul vu que Greg fabriquait son fameux nouveau prix.

Mais vous savez quoi ? Ça valait vraiment le coup. Quand il me l'a remis, je l'ai trouvé encore plus GÉNIAL que prévu.

Cette fois, c'était le Prix du Super Gentil Garçon. Et il valait à lui seul CINQUANTE Prix du Gentil Garçon — ce qui me paraissait assez logique.

Au fil des semaines, j'ai accumulé des dizaines de ce nouveau prix. Résultat : eux aussi, j'ai commencé à douter de leur valeur.

Sans compter que je consacrais un temps fou aux tâches de Greg, et que je n'avançais pas sur les miennes.

Seulement, à chaque fois que j'expliquais à Greg que je n'avais pas le temps et que j'avais suffisamment de Prix, il en imaginait un nouveau et je le voulais absolument.

Au bout d'un moment, mon classeur a été complètement PLEIN. J'ai saisi l'occasion pour annoncer que je me retirais de la course une bonne fois pour TOUTES.

Greg a répondu que ce n'était pas grave puisque, de toute façon, il avait inventé un NOUVEAU système et que je pouvais jeter mes prix à la poubelle.

J'étais dégoûté, parce que je m'étais donné À FOND pour les gagner, ces prix. Maintenant, ils ne valaient plus RIEN.

Je lui ai demandé en quoi consistait le nouveau système. Greg m'a expliqué que ça s'appelait les sympatoches et que c'était à base de POINTS, sans aucun papier.

À chaque fois que je ferais un truc SYMPA pour lui, je recevrais un sympatoche. Et au bout de cinquante sympatoches, je gagnerais une Récompense Fabuleuse.

Mais en attendant, cette récompense devait rester secrète et cachée sous un drap dans sa chambre.

Impossible de savoir ce qui se cachait là-dessous mais j'ai quand même essayé de DEVINER. Je n'imaginais que des trucs dont je RÊVAIS.

Pendant un mois, j'ai rendu un milliard de services à Greg et à chaque fois il m'a filé un sympatoche, comme promis.

Au bout de cinquante points, j'ai rappelé à Greg que j'avais droit à ma Récompense Fabuleuse.

Mais Greg m'a annoncé qu'on était le premier du mois et que ça remettait le compteur à ZÉRO. Je lui ai fait remarquer qu'il n'avait jamais parlé de cette règle — il a répondu que je n'avais jamais posé la QUESTION.

J'étais super ÉNERVÉ et j'ai arraché le drap de la Récompense Fabuleuse.

Et là, vous savez quoi ? C'était un simple
PANIER À LINGE SALE.

J'ai dit à Greg que c'était pas cool de
m'avoir fait travailler comme une bête
pour un prix bidon. Il a rétorqué qu'il
m'avait TESTÉ pour voir si j'arracherais
le drap ! Et que j'avais échoué.

La vraie récompense était cachée à la cave
et, maintenant, je devais gagner CENT
sympatoches de plus pour la remporter.

Oui mais voilà : je ne suis pas STUPIDE. Si
Greg s'imaginait que j'allais me dépêcher
de gagner ces sympatoches, il se mettait
le doigt dans l'œil. Au contraire, j'allais
prendre TOUT MON TEMPS !

LA FOIS OÙ JE ME SUIS RENDU COMPTE QUE GREG ÉTAIT UN BINÔME TOUT NAZE

Ce livre est la biographie officielle de Greg et je n'ai pas prévu d'écrire de choses négatives sur lui. Mais Greg, si tu me lis, il faut que tu saches : en classe, tu es un binôme vraiment NUL. J'espère que ça ne te blesse pas trop, mais il faut bien que quelqu'un te le dise.

En général, je n'ai pas trop besoin de réviser parce que j'écoute bien en cours et que je fais mes devoirs. Et puis, comme le répète ma mère : rien n'est plus important qu'une bonne nuit de sommeil ; alors, les soirs de semaine, je me couche tôt.

Mais en début d'année, on a abordé un chapitre de maths super dur et j'ai eu du mal à me concentrer en classe. En plus, Greg était assis juste derrière moi.

La veille du contrôle, j'avais prévu de relire mon cours à fond et de faire des tas d'exercices à la maison. Et là, Greg a sauté sur l'occasion pour qu'on révise ENSEMBLE.

Entre nous, ça ne m'a PAS paru être l'idée du siècle parce que, en matière de travail, Greg est un peu distrait.

Mais Greg m'a assuré que les meilleurs potes, ça révise ENSEMBLE. Ça m'a semblé plutôt logique.

La PREMIÈRE étape, c'était de trouver le meilleur endroit pour travailler. Chez Greg, c'était impossible parce que son frère Rodrick avait une répèt'.

Et, depuis la fois où Greg avait recouvert la lunette des toilettes de film alimentaire (ce qui avait mis mon père en pétard), il était banni de chez nous.

Greg a suggéré la BIBLIOTHÈQUE — un endroit calme où personne ne viendrait nous embêter. Mme Heffley nous y a conduits après le dîner et on a trouvé une table pour travailler.

On a sorti nos livres et j'ai proposé quelques exercices pour voir où étaient nos points faibles. L'ennui, c'est que Greg n'avait même pas LU le chapitre en question ; il fallait repartir de ZÉRO.

Je lui ai conseillé de lire le cours DE SON CÔTÉ. Il me rattraperait pour les exos. Mais il a répliqué qu'on était censés tout faire ENSEMBLE et que j'étais un binôme pourri.

Alors j'ai dit : OK, d'accord, on repend la leçon depuis le début. Mais avant de commencer, il a voulu qu'on se programme des pauses, histoire de pouvoir se détendre de temps en temps.

Puis, il a suggéré qu'on COMMENCE avec une pause pour partir du bon pied. Je n'étais pas franchement convaincu, mais c'est quand même ce qu'on a fait.

Au bout de dix minutes, j'ai proposé qu'on s'y mette parce que le chapitre était long et qu'il y avait beaucoup de choses à voir.

Et là, ne me demandez pas pourquoi, Greg s'est pincé le nez et m'a imité d'une voix super énervante.

Je lui ai ordonné d'arrêter mais il m'a imité encore plus.

Au bout du compte, j'ai trouvé la solution :
lire le chapitre à voix haute.

LA SOMME DES ANGLES D'UN TRIANGLE EST ÉGALE À 180 DEGRÉS.

LA SOMME DES ANGLES D'UN TRIANGLE EST ÉGALE À 180 DEGRÉS.

UN ANGLE DROIT EST UN ANGLE DE 90 DEGRÉS.

UN ANGLE DROIT EST UN ANGLE DE 90 DEGRÉS.

Au bout d'un moment, Greg a pigé le truc
et il a cessé de jouer au perroquet.

Du coup, j'ai proposé qu'on lise chacun le
chapitre dans notre tête mais Greg m'a
expliqué que ce n'était « pas trop son style
d'apprentissage ». Lui, pour retenir ses
leçons, il avait besoin de S'AMUSER.

Je lui ai demandé ce qu'il entendait par là
et il m'a révélé qu'il savait transformer les
révisions de maths en JEU.

Il a arraché une page de son cahier et l'a roulée en boule. On devait lire chacun quelques mots de la leçon et se lancer la boule. Au début, je dois reconnaître que ça a un peu marché.

Seulement, quand l'un de nous LÂCHAIT la boulette, on devait tout reprendre depuis le DÉBUT.

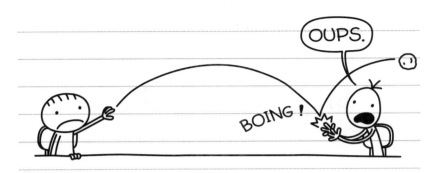

Je me trompe peut-être mais je crois que
Greg me lançait parfois la boule trop fort
EXPRÈS POUR que je la rate.

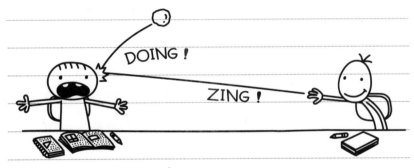

J'ai dit à Greg qu'on perdait vraiment trop
de temps — et qu'il fallait qu'on trouve un
autre moyen de réviser. Il m'a répondu qu'il
s'en fichait tant qu'il S'AMUSAIT.

Ça m'a fait penser à une super astuce de
mon père. Pour mieux retenir une leçon, il
suffit d'inventer une petite CHANSON.

J'ai chanté celle que j'avais imaginée pour l'aire d'un cercle.

Greg a dit qu'il n'avait jamais rien entendu de plus débile. Je lui ai demandé pourquoi, j'avais 18 de moyenne en maths et lui 13, si c'était aussi débile que ça.

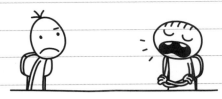

Ça lui a cloué le bec et il a décidé qu'il était l'heure de la pause. On a joué aux jeux vidéo sur les ordis de la bibliothèque et la bibliothécaire est venue nous dire qu'on faisait trop de bruit.

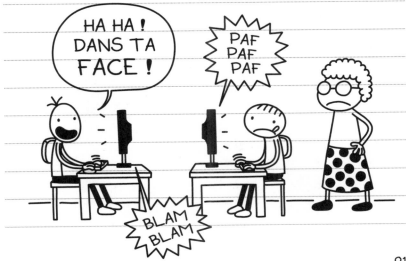

Quand on est revenus à notre table,
Greg a décrété qu'on s'y prenait mal et
m'a annoncé qu'il avait une IDÉE : il lirait
la première MOITIÉ de la leçon, moi LA
SECONDE, et on ferait équipe pendant le
contrôle.

Je lui ai rappelé qu'on n'avait pas le droit
de parler pendant un examen, alors je ne
voyais pas comment ça pouvait marcher.
C'est là qu'il m'a parlé de ces moines
qui communiquent par télépathie en se
concentrant très fort.

On a essayé mais j'imagine qu'on n'était pas assez concentrés.

Greg a dit qu'on n'avait qu'à inventer une AUTRE façon de communiquer pendant l'examen.

Pour moi, il suffisait d'apprendre le cours, et on n'aurait pas BESOIN de communiquer. Mais quand Greg a une idée en tête, impossible de l'en faire démordre.

Il a inventé tout un système d'éternuements, de toux et d'autres bruits pour qu'on se parle sans que Mme Beck, notre prof, s'en rende compte. C'était assez complexe à retenir, alors j'ai tout noté.

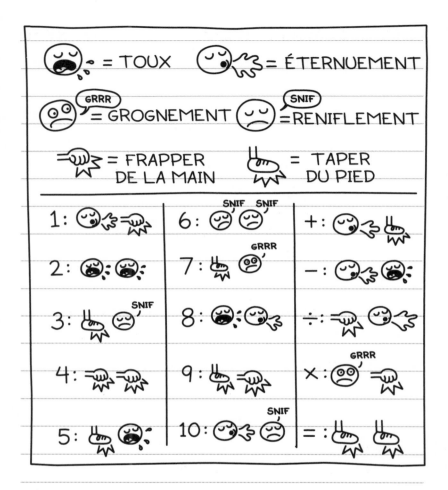

J'ai demandé : Et si l'un de nous veut poser une question à l'autre ? Réponse : Il suffit de mettre un point d'interrogation. Et comme on n'avait pas de signal pour le point d'interrogation, Greg a décidé que ce serait un pet.

L'ennui, c'est que je ne sais pas péter juste comme ça. Greg m'a dit d'essayer mais je n'ai pas réussi.

Là-dessus, il m'a sorti toute une liste d'aliments à manger au petit déjeuner pour faire les points d'interrogation.

Mais je n'étais pas super à l'aise avec cette idée, parce que la dernière fois que j'étais allé chez lui, on avait bu des litres de soda pour réciter l'alphabet en rotant, et j'avais vomi à la lettre B (et dû rentrer chez moi).

Greg avait une solution : si je n'arrivais pas à péter pour de VRAI, je n'avais qu'à faire un prout d'aisselle.

C'est là que j'ai avoué que ça me gênait
qu'on s'envoie des messages pendant le
contrôle parce que c'était de la TRICHE.

Il m'a répondu que si je voulais avoir une
bonne note en maths, c'était juste que
j'étais le chouchou de la prof et que j'étais
amoureux d'elle.

Je lui ai expliqué que je n'étais absolument
pas amoureux de Mme Beck. Que j'appréciais
juste sa personnalité et son odeur.

Mais pour lui c'était la PREUVE de mon
amour et il a chanté « Oh, les amoureux !
Oh, les amoureux ! »

Il voulait me faire péter les plombs, bien
sûr, mais bizarrement, cette chanson ne
me dérangeait pas tant que ça.

Il a dû trouver énervant que JE ne m'énerve
pas parce qu'il a chanté de PLUS BELLE.

J'ai fait mine de l'ignorer mais il a chanté
encore plus fort.

Je suis allé m'isoler dans les TOILETTES
pour bosser et il m'a suivi.

Mais quelqu'un a dû se plaindre parce que la bibliothécaire a débarqué dans les WC et nous a ordonné de sortir.

Puis, elle nous a prévenus que si on continuait à déranger tout le monde, elle appellerait nos parents pour qu'ils viennent nous chercher. Moi, j'aurais trouvé ça PARFAIT mais Greg n'était pas trop motivé pour rentrer chez lui alors on a promis de faire moins de bruit.

À ce stade, je n'avais plus aucune envie qu'on partage la même table alors je me suis installé ailleurs, à l'endroit des bureaux séparés. Et Greg s'est mis juste en face...

J'avançais enfin dans mes révisions, et c'est là qu'il m'a glissé un message.

C'était une question de maths alors j'ai répondu.

Eh, Robert,
C'est quoi la somme des angles d'un quadrilatère ?
- Greg

360 degrés
- Rob

Puis, il m'a balancé une AUTRE question. Comme c'était MILLE fois moins gênant que les trucs d'avant, ça ne m'embêtait pas tant que ça.

Sauf quand il a commencé à m'envoyer des questions qui n'avaient plus RIEN à voir avec les maths.

Coche une case. J'ai honte d'avoir fait pipi au lit hier soir.

☐ OUI

☐ NON

Évidemment, j'ai coché NON puisque je n'avais pas fait pipi au lit. J'ai rendu le papier à Greg mais il a réécrit un truc et me l'a RENVOYÉ.

☐ OUI

☒ NON

Ha ha ha, tu n'as même pas honte d'avoir fait pipi au lit !

Là, ça m'a énervé parce que ce n'était pas DU TOUT ce que j'avais voulu dire. En même temps, je n'avais aucune envie de me justifier parce qu'il fallait absolument que je révise.

Résultat : nouveau message de Greg.

Action ou Vérité ?

☐ ACTION   ☐ VÉRITÉ

Pas question de risquer « ACTION », alors j'ai coché « VÉRITÉ ». Mais la question ne m'a pas plu.

☐ ACTION   ☒ VÉRITÉ

Es-tu amoureux de Mme Beck ?

Finalement, je choisis Action.

Il m'a expliqué mon défi : aller lui chercher un soda à la machine. Ce n'était pas trop le principe d'action ou vérité, n'empêche que j'étais bien content de ne pas avoir à répondre à la question.

Après avoir apporté la cannette, je me suis remis au boulot mais Greg a recommencé à me passer des messages.

Hé, Robert,

C'EST TOI

Inutile de dire que ça m'a vexé. Alors MOI
AUSSI je lui ai envoyé un dessin.

Puis il M'A redessiné, et moi je L'AI redessiné.

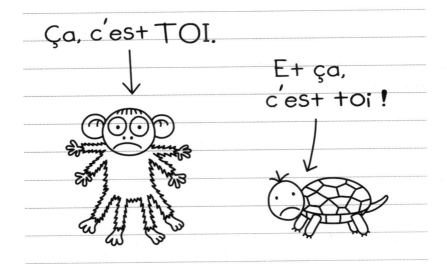

On a rempli deux PAGES rien qu'avec des
dessins.

Greg a démarré une NOUVELLE page
mais j'ai fait semblant de ne plus le calculer.
Ce qui n'a pas dû lui faire plaisir car il a
continué à me provoquer.

J'ai décidé de m'installer plus loin. J'étais
content d'être un peu tranquille... Mais ça
n'a pas duré LONGTEMPS.

Si vous vous demandez ce qui a fait
« bam », voici l'explication : quand j'étais
parti m'asseoir plus loin, un gros type
baraqué avait pris ma place. Le souci, c'est
que Greg pensait toujours avoir affaire à
MOI et qu'il a noué les lacets du mec.

Et quand le type s'est levé, il est tombé en
arrière.

Greg s'est tiré aussi vite que possible !
Et j'en ai fait AUTANT au cas où le mec
m'aurait pris pour le responsable des lacets
noués.

J'ai suivi mon pote dans la section jeunesse
de la bibli. Il a posé ses affaires d'un côté
d'une table, et moi à l'autre bout pour qu'on
ne soit pas trop près.

Greg a voulu refaire une petite pause, mais
j'ai préféré continuer à travailler. Pour
passer le temps, il a commencé à faire des
boulettes de papier et à viser la corbeille
dans le coin.

Il ratait à chaque fois mais ça ne l'a pas empêché de continuer. Alors que moi, ça me dérangeait.

Il a fini par marquer un panier et il m'a défié d'en faire autant. J'ai refusé parce que je devais absolument travailler et il m'a traité de grosse POULE MOUILLÉE.

Mon plan était de l'ignorer mais ce n'était pas si simple. SURTOUT quand il a grimpé sur la table.

Tout à coup, il s'est accroupi et a poussé des grognements trop bizarres. Au début, j'ai cru qu'il avait un besoin urgent d'aller aux toilettes. Mais, quand il s'est levé, il y avait un œuf.

Comme je n'avais aucune envie qu'il ponde un autre œuf, j'ai froissé une feuille de papier et je l'ai balancée dans la corbeille. Je n'ai même pas regardé mais elle a atterri PILE dedans.

Greg a dit que c'était un coup de BOL et que jamais je ne réussirais une deuxième fois. Je lui ai annoncé que je n'avais pas l'intention de RÉESSAYER.

Greg a répliqué que je ne pouvais pas prendre ma retraite, mais je lui ai dit que si. C'est même lui qui m'avait donné l'idée.

Une fois, j'avais fêté mon anniversaire au bowling et Greg avait réussi un strike du premier coup. Puis il avait annoncé qu'il prenait sa retraite, ce qui avait signé la fin du tournoi pour tout le monde.

Quand il a compris que je n'allais pas me « déretraitifier », il a voulu tenter LUI AUSSI un lancer en arrière. Voilà comment il a gâché un million de pages de cahier sans JAMAIS se rapprocher de la corbeille. Moi, j'en ai profité pour avancer dans mes révisions.

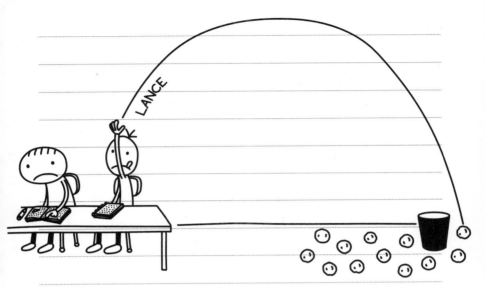

J'ai réussi à terminer mes exercices, mais au moment de relire mes leçons, je me suis rendu compte que les boulettes de Greg venaient de MON CAHIER.

Ça m'a rendu furieux parce que Mme Beck avait précisé qu'on aurait droit à nos notes pendant le CONTRÔLE.

Je me suis mis à quatre pattes pour ramasser les boulettes. Peut-être qu'en les défroissant, je pourrais les scotcher dans mon cahier une fois rentré chez moi.

Le souci, c'est que Greg continuait ses tirs. Il a même fini par marquer grâce à un rebond sur ma TÊTE.

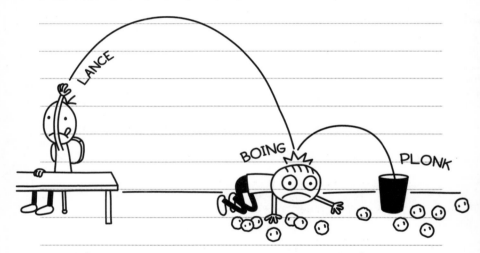

Ça m'a rendu encore plus furax. Je l'ai coursé dans la bibliothèque avec son œuf.

Mais visiblement, on a fait trop de bruit parce que la bibliothécaire nous a de nouveau attrapés.

Elle m'a obligé à appeler mes parents pour qu'ils viennent nous chercher... ce qui m'allait TRÈS BIEN.

Ce soir-là, j'ai veillé deux heures de plus que d'habitude pour lisser mes notes et les recoller dans mon cahier. Et j'ai passé ENCORE une demi-heure à faire des recherches sur l'ordi de mon père.

LA FOIS OÙ J'AI COMMIS
LA PIRE ERREUR DE MA VIE

En réalité, ce chapitre est la seconde partie du précédent, mais j'étais tellement sur les nerfs que j'ai préféré faire une pause. Et maintenant, je vais respirer caaaaaaalmement parce que cette partie va être encore plus DIFFICILE à écrire.

Le lendemain, pendant le contrôle de maths, j'ai voulu utiliser mes notes, ce qui n'était pas évident parce qu'elles étaient en désordre.

Sans compter que j'avais du mal à me concentrer à cause de Greg qui posait une question toutes les deux secondes.

Les autres élèves aussi étaient stressés.
Timothy Lautner a même fait un malaise et
Mme Beck a dû l'accompagner à l'infirmerie.

Bien sûr, dès qu'elle a franchi la porte, Greg
a rapproché sa chaise pour pouvoir lire
par-dessus mon épaule.

Je lui ai rappelé que c'était de la TRICHE.
Mais il a dit que non car vu qu'on était
binômes, on avait forcément les mêmes
informations dans la tête.

Il n'avait pas tort, j'avoue... Mais ça me
DÉRANGEAIT quand même.

Il a précisé que de toute façon, il avait déjà terminé et qu'il voulait juste vérifier que j'avais bien les bonnes réponses. Ce qui m'a fait flipper parce que, justement, je n'étais pas très sûr de mes calculs.

Je l'ai laissé jeter un coup d'œil. Et je vais vous dire une chose : ça a été LA PIRE ERREUR DE MA VIE.

OUAIP. MOI AUSSI J'AI TROUVÉ 180 À LA QUESTION 8.

HMMM... BRAVO, BON BOULOT.

Au bout d'une bonne minute, je me suis demandé s'il vérifiait vraiment mes réponses ou s'il n'était pas plutôt en train de les COPIER.

Le problème, c'est qu'il était trop tard
pour l'en empêcher, alors j'ai fait comme si
de rien n'était.

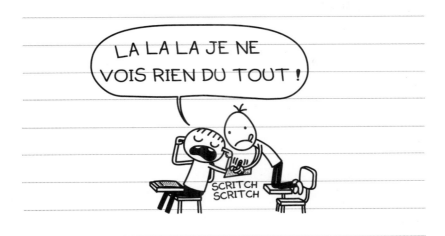

Juste avant le retour de Mme Beck, Greg a
éloigné sa chaise et, quand la cloche a sonné,
la prof a ramassé les copies.

Le lendemain, elle nous a rendu nos contrôles et j'ai eu 15. Un peu bof par rapport à d'habitude. Greg aussi a eu 15, ce qui pour LUI était une excellente note.

Là, vous devez vous dire : Ah, enfin un chapitre qui finit bien ! Eh bien NON.

À la fin du cours, quand tout le monde allait partir, Mme Beck nous a demandé de rester, Greg et moi.

Elle voulait nous parler du contrôle. Elle avait remarqué qu'on avait eu la même note et, surtout, les mêmes réponses.

Greg a sorti son argument sur les binômes
qui connaissent forcément les mêmes
choses.

Franchement, j'ai du bol de l'avoir comme
pote parce qu'il est fort pour parler aux
adultes.

J'ai cru que Mme Beck allait nous laisser
filer... mais NON. Elle a répété que nos
copies étaient IDENTIQUES et qu'elle
trouvait ça suspect, et elle les a posées
l'une à côté de l'autre pour nous montrer.

C'est là que j'ai découvert que Greg avait
TOUT copié sur moi — y compris mon NOM.

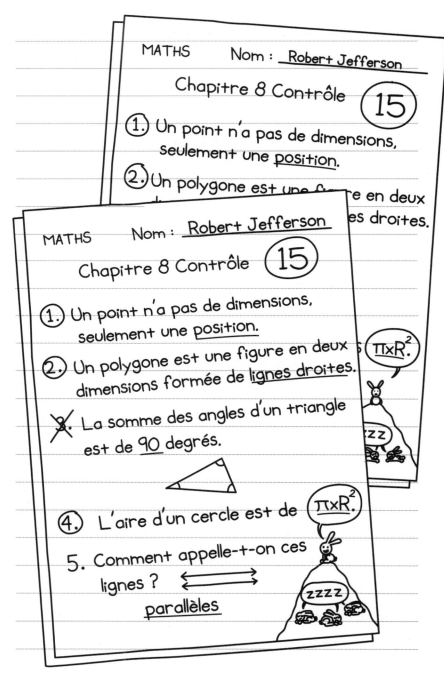

MATHS Nom : _Robert Jefferson_

Chapitre 8 Contrôle (15)

1. Un point n'a pas de dimensions, seulement une position.

2. Un polygone est une figure en deux

es droites.

MATHS Nom : _Robert Jefferson_

Chapitre 8 Contrôle (15)

1. Un point n'a pas de dimensions, seulement une position.

2. Un polygone est une figure en deux dimensions formée de lignes droites.

X. La somme des angles d'un triangle est de 90 degrés.

4. L'aire d'un cercle est de $\pi \times R^2$.

5. Comment appelle-t-on ces lignes ? ⟷
   parallèles

Mme Beck a accusé Greg d'avoir copié. Elle lui a mis trois jours de colle ET l'a obligé à repasser le contrôle.

J'ai cru que j'allais aussi être collé. Mais ça n'a pas été le cas. Ma punition était bien PIRE.

ROBERT, SACHE QUE TU M'AS BEAUCOUP DÉÇUE.

Finalement, Mme Beck nous a conseillé d'en tirer une bonne leçon et nous, on a juré que ça ne se reproduirait plus. Elle nous a répondu qu'elle nous le souhaitait parce qu'une réputation de tricheur nous suivrait toute notre vie.

Quand elle nous a libérés, Greg ne s'est
pas fait prier pour filer. Moi, je lui ai fait
un gros câlin pour lui montrer que j'étais
désolé. Sauf que ça a peut-être duré trop
longtemps.

En rentrant à la maison, j'étais hanté par
ses paroles sur les tricheurs.

J'avais bien retenu la leçon, aucun doute là-dessus. Mais Greg... pas sûr.

Le lendemain, Mme Beck l'a mis au fond pour qu'il repasse le contrôle. Ça ne l'a pas empêché de me poser des milliards de questions et j'ai dû faire semblant de l'ignorer.

Je sais ce que vous vous dites : « Robert, pourquoi tu restes ami avec lui ? » Eh bien, parce que Greg est un super POTE. C'est comme binôme qu'il est nul.

Et puis, c'est la seule personne au monde à pondre des œufs.

LA FOIS OÙ GREG
M'A GRAVE DÉFENDU

Greg, si tu lis ces pages : Désolé de ne pas
t'avoir montré sous ton meilleur jour
dans les deux chapitres précédents. Pas
d'inquiétude, mon pote : dans celui-ci, tu vas
briller.

L'année dernière, on avait Mme Modi
comme prof de sciences. Puis elle est partie
en congé maternité et elle a été remplacée
par M. Hardy.

Ma théorie, c'est que M. Hardy était prof
au collège il y a un bail, et qu'on le sonne dès
qu'il y a besoin d'un remplaçant.

M. Hardy

Je pensais qu'il aurait à peu près les mêmes méthodes que Mme Modi... mais pas DU TOUT. Sa méthode à lui, c'était d'écrire une consigne au tableau et puis de s'installer derrière son bureau pour bouquiner jusqu'à la fin de l'heure.

À faire :
Page 192.
Problèmes 1 à 11.

Au bout de trois jours, les élèves passaient leur temps à faire le bazar. Et lui, il s'en FICHAIT.

Un jour, des élèves de la classe ont voulu tuer un insecte en lâchant leur manuel dessus. Heureusement, la bestiole s'est échappée mais M. Hardy n'a même pas LEVÉ les yeux. Pourtant, ça a fait un sacré vacarme.

BOUM   PAM

Visiblement, tout ce bazar ne le dérangeait mais moi, c'était l'inverse. Impossible de me concentrer sur mes exercices !

Greg m'a dit que je perdais mon temps avec ces exos vu que M. Hardy ne les REGARDERAIT même pas. Il valait mieux en profiter avec les AUTRES en attendant le retour de Mme Modi.

Mais vous savez quoi ? Mme Modi n'est JAMAIS revenue. Elle a préféré devenir mère au foyer et M. Hardy est resté jusqu'à la fin de L'ANNÉE.

Puisqu'il devenait notre prof de sciences officiel, je pensais que la situation s'arrangerait. En fait, elle a EMPIRÉ.

Jusqu'au dernier jour, quand il a annoncé qu'on allait avoir nos NOTES. Énorme flip dans la classe, parce que, évidemment, la plupart des élèves ne méritaient pas plus que ZÉRO.

M. Hardy a commencé à circuler dans les rangs pour chuchoter à chacun sa note. Sauf que c'était un peu râpé côté discrétion, parce que, avec sa voix grave, on entendait tout.

Dennis Diterlizzi a eu sa note en premier : 12. Comme M. Hardy parle ultra lentement, ça donnait plutôt :

DOUUUUUUUZE

Le voisin de Dennis a eu un 12 aussi, et
pareil pour les autres. Même Greg a eu
12 alors qu'il n'avait rien fichu de l'année.
Il était super content parce qu'il allait
échapper aux cours particuliers pendant
les vacances d'été.

Quand MON tour est arrivé, j'ai croisé
les doigts car j'espérais avoir une BONNE
note. Mais j'ai eu la même que tout le
monde.

Greg avait raison. M. Hardy n'avait même pas regardé notre travail.

Il est passé à mon voisin et soudain, Greg s'est dressé pour l'interpeller. Il lui a dit que j'étais le seul à avoir bossé dans cette classe, qu'il était trop nul comme prof et qu'il mériterait d'être dénoncé à la PRINCIPALE.

J'étais sous le choc parce qu'il ne m'avait jamais défendu comme ça. D'ailleurs, j'ai bien cru que M. Hardy allait l'envoyer LUI-MÊME chez la principale.

Mais pas du tout. Après une minute de réflexion, il m'a soufflé une NOUVELLE note.

Sur le chemin du retour, j'ai remercié
Greg de s'être battu pour moi. Je lui ai
dit qu'on était quittes car je l'avais aidé à
l'anniversaire de Kevin Larkin et lui m'avait
aidé avec M. Hardy.

Greg m'a répondu que ce qu'il avait fait, lui,
était MILLE FOIS mieux. Que grâce à ce
14, j'allais échapper à une vie de misère à
base de boulots pourris.

J'ai dit : OK, alors je te dois quoi pour qu'on soit QUITTES ? Alors il m'a fait ce dessin pour me montrer :

Ce Que Tu Me Dois

Ce que tu m'as rendu jusqu'ici.

Bref, il y avait encore du chemin... Mais ce n'est pas grave car Greg et moi, on va rester potes super longtemps. J'aurai des tas d'occasions de me rattraper.

LA FOIS OÙ J'AI COMPRIS QUE GREG NE DISAIT PAS TOUJOURS LA VÉRITÉ

J'ai fini par lui demander comment il avait fait pour pondre un œuf. Il m'a répondu qu'il pouvait pondre TOUS les œufs qu'il voulait.

J'ai dit : OK, alors ponds-moi un œuf D'AUTRUCHE. Il m'a répondu que pour ça, il avait besoin de manger plein de chips et a chipé les miennes.

CRONK
CRONK

Seulement voilà : quelques jours plus tard, quand je suis passé le prendre pour aller au collège, j'ai vu sa mère lui donner un œuf pour son déjeuner. Je me suis souvenu qu'il mangeait TOUJOURS un œuf dur à midi et que le jour de la bibli il avait simplement dû le garder dans sa poche.

C'est alors que j'ai commencé à soupçonner que l'image que j'avais de lui n'était pas cent pour cent exacte. Parce que depuis le temps qu'on était potes, il m'avait sorti un PAQUET de trucs pas super clairs.

Voici quelques exemples qui me font douter :

1. Greg sort avec une top-modèle mais dit qu'ils doivent cacher leur relation parce que ça briserait la carrière de la fille si tout le monde apprenait que son mec était au collège.

Il raconte aussi qu'elle lui fait des signes quand elle passe à la télé.

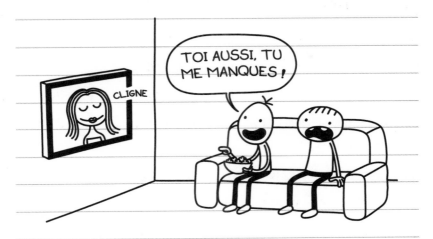

2. Greg assure qu'un jour, il a lancé un frisbee tellement fort que le truc a fait le tour du monde pour revenir le cogner dans la tête. C'est pour ça qu'il ne pratique plus aucun sport.

3. D'après lui, l'étoile sur les claviers des téléphones serait en réalité un FLOCON DE NEIGE qui permettrait d'entrer en connexion directe avec le pôle Nord. D'ailleurs, à chaque fois que je fais un truc qui lui déplaît, il menace d'appeler le père Noël pour le lui dire.

4. Quand il était petit, sa mère l'aurait emmené dans une agence de bébés mannequins et il aurait fait des photos pour une marque de couches.

Les pubs ne sont jamais passées chez nous mais en Chine, Greg est tellement célèbre qu'il se ferait harceler dans la rue s'il y allait.

5. C'est lui qui aurait inventé le fameux hymne des terrains de basket américains (« DE-FENSE ! »). À chaque fois que la foule le chante, il reçoit cent dollars sur son compte bancaire.

6. Il a cinq cents ans mais ne vieillit pas. Pour que personne ne s'en rende compte, il déménage régulièrement. Il aurait été dans la même école que l'ancien président des États-Unis Abraham Lincoln (qui, apparemment, était un crétin).

7. Il existerait un formulaire qu'on peut remplir à la mairie pour adopter n'importe quel enfant et comme il m'a adopté, je suis obligé de faire tout ce qu'il veut.

8. Un jour, Greg m'a dit qu'il pouvait se transformer en eau. Quand je lui ai demandé de le prouver, il m'a répondu que la DERNIÈRE fois, Rodrick l'avait bu et qu'il avait mis deux jours entiers à retrouver sa forme humaine.

9. Comme il n'utilise que cinq pour cent de son cerveau, il pourrait s'il le voulait soulever un immeuble rien qu'avec son esprit. J'ai suggéré que je pourrais peut-être y arriver aussi, mais il m'a assuré que non parce que j'utilise déjà cent pour cent de mes capacités.

ET ZUT.

10. En parlant de CERVEAUX, il aurait un
sixième sens et saurait toujours à l'avance
ce que je vais faire.

Ça, pour le coup, je veux bien le croire : je
l'ai vu faire plein de fois.

Bref, la moitié de ces trucs est sûrement
fausse mais je les note au cas où ils ne le
seraient PAS.

Pour info, ça fait trois semaines que Greg
mange TOUTES mes chips au déjeuner
et il n'a toujours pas pondu son œuf
d'autruche.

LA FOIS OÙ GREG ET MOI ON A INVENTÉ NOTRE PROPRE SUPER-HÉROS

Bonne nouvelle : ce chapitre sera probablement le meilleur de tout le livre parce que c'est le seul avec des super-héros. J'espère ne pas avoir trop vendu la mèche sur ce qui va se passer... De toute façon, faites-moi confiance, ce chapitre va être mortel.

C'était un jour de pluie. On ne pouvait pas sortir, mais on ne pouvait pas non plus jouer à la console parce que Greg était privé de jeux vidéo après avoir pété les plombs en jouant au *Magicien Déjanté*.

Mme Heffley pensait qu'on passait trop de temps devant les écrans et qu'une petite pause nous ferait grand bien.

Elle nous a donné des feutres et un cahier et nous a conseillé d'inventer notre propre histoire de super-héros comme quand on était en sixième.

Ce qu'elle ne savait pas, c'est que notre dernière BD de super-héros avait carrément tourné au vinaigre... pour moi. Si vous ne connaissez pas cette histoire, je vous la fais courte.

En sixième, Greg et moi on a créé une BD intitulée *Oh la vache, maman !*

Puis Greg s'est lassé et j'ai continué tout
SEUL.

Mes histoires ont été publiées dans le
journal du collège et ça lui a mis les nerfs
(alors que c'est lui qui m'avait CONSEILLÉ
de continuer en solo).

Là-dessus, on s'est disputés devant tout
le collège et des grands sortis de NULLE
PART nous ont coincés.

Ils m'ont forcé à manger un vieux morceau
de _____ écrasé sur le terrain de
basket.

SCRONTCH
SCRONTCH

Depuis ce jour, je ne peux toujours pas manger ni pizza ni quoi que ce soit avec du _____ dedans. Greg dit qu'il serait temps que je passe à autre chose, quand même, parce que c'était il y a longtemps.

Bref, quand j'ai ouvert le cahier de Mme Heffley, j'ai découvert plein d'histoires de *Oh la vache, maman !* qu'on n'avait jamais données au journal.

Pour Greg, il fallait les publier dans ce livre parce que, un jour, ce serait de l'or en barre.

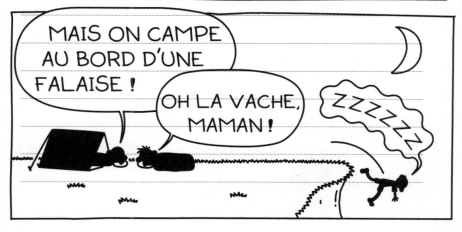

J'ai proposé qu'on écrive d'AUTRES *Oh la vache, maman !*, mais Greg a dit que c'était devenu ringard et qu'il fallait inventer une NOUVELLE BD.

C'est là qu'il a eu une idée de génie : créer notre propre SUPER-HÉROS. Ça m'a plu direct. Je savais qu'on allait s'amuser. Lui, il se fichait complètement de s'amuser. Tout ce qu'il voyait, c'était l'ARGENT.

Il m'a expliqué que, quand on crée un nouveau super-héros, il suffit de vendre les droits audiovisuels et après, les billets arrivent par camions.

On a imaginé ce qu'on ferait avec tout cet argent gagné grâce à notre super-héros. Moi, j'irais au magasin de jouets et je remplirais un chariot à ras-bord.

Mais aux yeux de Greg, je ne voyais pas assez GRAND. Son plan à lui était d'acheter TOUT le magasin, de porter CHAQUE jour de nouvelles baskets et d'habiter dans une confiserie.

Alors j'ai dit que j'achèterais une voiture de sport, grande classe, et que j'emmènerais Mme Beck tous les jours au collège.

Mais Greg m'a expliqué qu'on serait tellement riches qu'on achèterait carrément LE COLLÈGE. On virerait tous les profs et on organiserait une bataille de paintball géante dans les couloirs.

Je lui ai fait remarquer qu'on n'aurait pas forcément besoin de virer TOUS les profs, parce que Mme Beck est sympa et qu'elle enseigne super bien les maths.

Greg m'a expliqué qu'avec tout notre fric, on n'aurait plus BESOIN de faire des maths. Mais qu'on pourrait quand même garder Mme Beck pour qu'elle compte nos millions. Ça m'a un peu rassuré.

Puis il a ajouté qu'on aurait le temps plus tard de réfléchir à ce qu'on achèterait, mais que là, il fallait plancher sur notre super-héros.

La PREMIÈRE étape, selon Greg, était de lui choisir des POUVOIRS.

J'ai proposé qu'il sache voler ou qu'il ait
une force surhumaine, mais Greg a trouvé
ça naze parce que ça avait déjà été vu un
milliard de fois.

J'ai suggéré une vision à rayons X. Il a
trouvé ça tout aussi nul, surtout qu'une
fois, il avait vu son papi à poil et que ça le
hantait ENCORE.

Il voulait un truc vraiment ORIGINAL alors on a énuméré des idées que personne n'avait jamais EUES. Ces idées n'étaient pas mal, mais pas top.

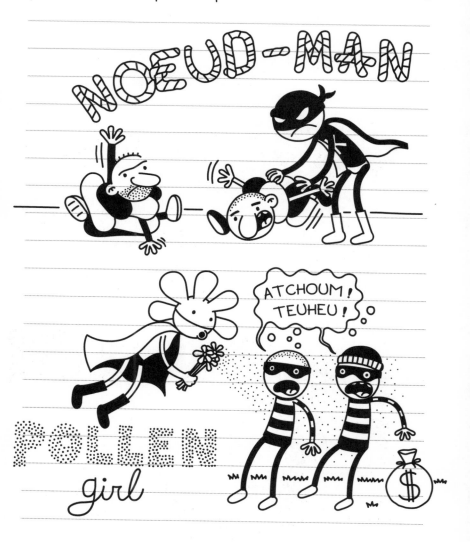

Notre préféré, c'était un mec appelé le Balanceur qui jetait sa tête comme un ballon.

Mais Greg m'a fait remarquer que LE BALANCEUR ne pourrait pas être décliné en figurines parce que les jeunes enfants risqueraient d'avaler sa tête.

Alors on a essayé d'imaginer des personnages SANS DANGER au cas où un gosse les avalerait. Mais on n'a rien trouvé de franchement convaincant.

BÂTONNET DE FROMAGE BOY

NUGGET DE POULET WOMAN

Greg a remarqué que les figurines sont généralement achetées par les MÈRES pour leurs enfants, on devait donc trouver quelque chose qui leur plaise à ELLES. Mais là non plus, pas de révélation.

Alors Greg a changé d'approche. Il a dit que nos propositions étaient pourries parce qu'on formait une ÉQUIPE pourrie. Il fallait qu'on réfléchisse CHACUN de son côté et on verrait qui avait la meilleure idée.

Chacun a donc cherché et on a partagé nos résultats.

Son super-héros à lui était un type venu de l'espace qui avait un pouvoir différent dans chaque doigt — une trouvaille assez chouette.

Je lui ai dit que son idée était super et qu'on partait LÀ-DESSUS.

Mais là, il m'a demandé : Et TOI, c'est quoi ton idée ? Et je n'ai pas osé lui répondre parce que je savais qu'il se moquerait de moi. Il m'a juré que NON et j'ai fini par lui montrer.

Il a voulu connaître le pouvoir du Mec Génial.
Je lui ai dit la GENTILLESSE et il a aussitôt
brisé sa promesse en éclatant de rire.

Il m'a expliqué qu'un super-héros devait
être un type cool mais un peu nerveux, et
que Mec Génial pourrait avoir des lames à la
place des doigts, un blouson en cuir, et qu'il
pourrait balancer des gros mots quand il
affronterait des méchants.

J'ai tenu bon : pour moi, Mec Génial devait
montrer l'exemple aux enfants. Résultat :
Greg a brisé sa promesse encore une fois.

BAM
BAM

Je lui ai dit que s'il n'aimait pas mon héros,
je ne lui filerais pas un centime le jour où
je vendrais les droits au CINÉMA. Du coup,
il s'est vachement intéressé à Mec Génial
et a précisé que, si je devenais riche, je lui
devrais la moitié de mes bénéfices vu que
j'avais utilisé ses feutres et son papier
pour le créer.

Comme je n'étais pas d'accord, il a menacé
d'appeler son avocat. Il a composé le numéro
et je l'ai écouté parler.

MOUI... MOUI... EXACT.
MES PROPRES FEUTRES.
CINQUANTE POUR CENT ?
C'EST BIEN CE
QUE JE PENSAIS.

Quand il a raccroché, je lui ai demandé de
RAPPELER l'avocat parce que moi aussi, je
voulais lui poser des questions.

Mais il a dit que je n'avais pas les MOYENS de me payer ses services et que je n'avais qu'à m'en trouver un autre.

Puis il m'a expliqué qu'en tant qu'associés, on était obligés de travailler ENSEMBLE. Je lui ai rétorqué que ça ne changeait rien au fait que je ne voulais pas de gros mots. Et Greg a conclu qu'on en reparlerait.

Pour lui, la première étape, c'était d'inventer « les origines » de Mec Génial pour expliquer d'où venaient ses pouvoirs. Puis il m'a raconté d'où venaient les pouvoirs des AUTRES super-héros.

Pour moi, c'était simple : Mec Génial avait
de gentils parents qui l'avaient bien élevé et
il avait décidé, en grandissant, de se battre
pour ceux qui avaient besoin de son aide.

Greg a répliqué que ces origines étaient
NULLES. Mec Génial devait avoir vécu un
truc DINGUE quand il était petit, genre se
prendre une météorite ou se faire piquer
par un moustique radioactif.

J'ai dit : Dans ce cas, il a été frappé par
un double arc-en-ciel et ça a déclenché ses
pouvoirs.

Greg trouvait cette idée ridicule mais il ne voulait pas s'embarquer dans un « vieux débat sur les arcs-en-ciel », alors il a décrété qu'on devrait en reparler aussi.

Ensuite, il a voulu qu'on invente une identité secrète à Mec Génial car tous les super-héros en ont une.

Moi, je le voyais bien en infirmier urgentiste qui devient Mec Génial à 18 h, en sortant du boulot, pour voler au secours des pauvres victimes avant de rentrer se coucher.

Et personne ne connaitrait son identité,
même pas Mlle Beck, sa collègue infirmière.

Greg m'a soupçonné de ne pas avoir choisi
ce nom par hasard, mais je lui ai juré que
c'était une pure coïncidence.

Je ne sais pas si c'est lié mais il a décrété
qu'on perdait notre temps sur des trucs à
la NOIX, et qu'il était temps d'inventer le
COSTUME de Mec Génial.

Moi, sa tenue me convenait TRÈS BIEN
mais Greg la trouvait bidon parce que tout
le monde le reconnaîtrait dès qu'il mettrait
un pied dehors.

Du coup, il lui a dessiné un masque MORTEL
et il a aussi ajouté une cape.

Puis il a eu une autre idée : si Mec Génial
n'avait pas de superpouvoir, son COSTUME
pouvait en avoir un. Je lui ai rappelé que
le superpouvoir de Mec Génial était la
GENTILLESSE et que si ses gants étaient
rembourrés, c'était justement pour ne pas
faire trop de mal aux méchants.

On est passés à la répartition des tâches :
je voulais m'occuper des images et Greg a
accepté de s'occuper du TEXTE. Alors j'ai
dessiné une scène trop bien, où Mec Génial
quitte le travail un peu en avance pour aller
combattre des ennemis et j'ai laissé de la
place pour les dialogues.

Greg avait complètement gâché ma BD et j'ai décidé que, maintenant, je m'occuperais de tout : les dessins ET les dialogues. Il a menacé de rappeler son avocat mais j'ai tenu bon. Il a même menacé d'appeler le PÈRE NOËL.

Après ça, il a dit que ça ne l'intéressait plus de travailler sur ma BD pourrie avec mon super-héros tout naze. Il allait plutôt écrire les histoires d'Intergalactique Man qui était mille fois plus COOL.

Il a ajouté que si Intergalactique Man affrontait Mec Génial, il le dégommerait en cinq secondes. Je l'ai pris au mot et on a dessiné la bataille. Lui SON héros et moi le MIEN.

J'ai dû m'emballer un peu dans le dernier dessin parce que Greg m'a dit qu'il était temps que je rentre chez moi.

Vous savez quoi ? La prochaine fois, Mec Génial n'utilisera pas TOUS ses pouvoirs contre ses ennemis. Parce que je ne voudrais pas qu'il déçoive ses parents ni Mlle Beck, l'infirmière.

LA FOIS OÙ J'AI DORMI CHEZ GREG DEUX NUITS DE SUITE

Grâce au titre, vous savez déjà que ce chapitre racontera la fois où j'ai dormi chez Greg DEUX NUITS DE SUITE. Vous devez penser qu'on s'est éclatés comme des fous. Eh bien, je vais vous décevoir : on s'est TOUT sauf marrés.

Déjà, je vous explique pourquoi j'ai dû dormir chez Greg deux nuits d'affilée : je devais rendre visite à ma mamie avec mes parents, mais elle est tombée malade et Mme Heffley a proposé :

POURQUOI NE PAS NOUS CONFIER ROBERT POUR LE WEEK-END ?

Quand ma mère a dit oui, Greg et moi on était comme des DINGUES parce qu'on n'avait jamais dormi deux nuits de suite chez l'un ou l'autre. On aurait peut-être dû attendre un peu avant de se réjouir.

Le vendredi, maman a préparé mon baluchon pour le week-end et elle a ajouté un slip en plus « au cas où ».

Elle y a aussi mis une photo d'elle et papa à regarder si j'avais un coup de blues.

Comme je l'ai dit, le week-end s'est révélé catastrophique. Pourtant, il avait plutôt bien commencé. On a joué aux jeux vidéo au sous-sol en grignotant des chips. Puis on a fait un canular téléphonique à Scotty Douglas et il a soufflé dans son sifflet (qu'il avait acheté exprès pour les fois où on l'appelle).

OUI, BONJOUR MONSIEUR. VOTRE FRIGO EST EN BOUT DE COURSE, NE LE LAISSEZ PAS FILER.

TRIIIIIT

Le hic, c'est que Mme Douglas a appelé la
mère de Greg pour se plaindre. Mme Heffley
nous a dit que c'était du « harcèlement »,
et je me suis senti super mal.

À 21 h, elle nous a annoncé qu'il était l'heure
de dormir et elle est remontée dans sa
chambre.

Moi, j'étais fatigué mais Greg, lui, a eu une
idée. Dans notre rue, il y a un gamin qui
s'appelle Joseph O'Rourke. Il a un trampoline
que personne n'a jamais le droit d'utiliser.
Le plan était de sortir discrètement et de
faire du trampoline pendant la nuit.

Je n'étais pas super à l'aise, mais Greg m'a
dit que si je voulais faire le bébé, je n'avais
qu'à aller dormir dans la chambre de MANU.

Je lui ai dit que je n'étais pas un bébé !
Il a dit : Si-si. J'ai répliqué : Nan-nan. Il a
répété : Si-si, puissance L'INFINI. Alors j'ai
sorti : Nan-nan puissance l'infini AU CARRÉ.
J'ai cru que je l'avais bien eu, mais il m'a
fait : Si-si puissance l'infini au carré PLUS
UN.

On s'est glissés par la porte de derrière
et je l'ai suivi jusque chez Joseph. Il faisait
méga froid et j'étais en pyjama, mais je
n'ai pas osé me plaindre pour ne pas me
REFAIRE traiter de bébé.

Comme prévu, tout était éteint chez les O'Rourke. Greg a précisé qu'on devrait rester archi-silencieux, puis il est monté sur le trampoline et a sauté sans faire de bruit.

Ensuite ça a été MON tour. Je n'avais jamais fait de trampoline et c'était TELLEMENT génial que j'ai oublié de rester discret.

Les lumières se sont allumées dans la maison et le chien de Jo s'est mis à aboyer. Greg a filé comme une flèche sans m'attendre. J'ai voulu filer AUSSI, mais ce n'est pas si simple d'arrêter de rebondir sur un trampoline.

J'ai fini par m'enfuir et j'ai couru jusqu'au sous-sol des Heffley.

Greg a refusé de me laisser entrer. Je crois qu'il m'en voulait d'avoir crié « youuuuuu ».

J'ai essayé de lui faire comprendre que je mourais de froid mais visiblement, il ne comprenait pas.

Comme j'avais peur qu'il ne m'oblige à passer la NUIT dehors, j'ai fait le tour de la maison pour voir si je pouvais passer par-devant.

Mais la porte était FERMÉE et ça m'a un peu FICHU LES JETONS.

La bonne nouvelle, c'est qu'on n'a pas tardé à m'ouvrir. La mauvaise, c'est que c'était M. Heffley qui s'était déplacé.

Il a décidé qu'on dormirait finalement dans la chambre de Greg, pour qu'il nous ait à l'œil, et on est allés chercher nos affaires au sous-sol.

Ensuite, Mme Heffley est venue nous voir. Elle nous a dit qu'elle était très déçue par notre comportement et je me suis encore senti super mal. Greg, lui, doit avoir l'habitude car il n'avait pas l'air franchement gêné.

Dès que sa mère est retournée se coucher, il m'a dit que j'étais STUPIDE d'avoir fait tant de bruit sur le trampoline et d'avoir sonné à la porte. Je me suis excusé d'avoir crié « youuuu ». Le coup de la sonnette, par contre, c'était sa faute.

Il m'a frappé avec son oreiller et je lui ai RENDU son coup. Mais on a dû faire du bruit car, pour la deuxième fois de la soirée, je me suis retrouvé face à M. Heffley en caleçon.

Il a crié à Greg d'aller dormir dans la chambre de Manu et je me suis dit : Haha, alors, c'est QUI le bébé ?

Le lendemain, Mme Heffley m'a réveillé et m'a dit que je pouvais descendre petit-déjeuner.

Greg se brossait les dents à la salle de bains. Il m'a annoncé direct que si je voulais utiliser son dentifrice, c'était payant vu qu'on était chez lui.

Je lui ai répondu que j'avais mon dentifrice et il m'a annoncé que je devais quand même payer l'eau du robinet.

Je lui ai répondu que j'étais l'invité et j'avais droit à un traitement de FAVEUR.

Il m'a rétorqué que si je refusais de payer, je n'aurais ni petit déj' ni aucun autre repas.

Là, j'ai ricané genre « Mais oui, BIEN SÛR » et il a éteint la lumière sous prétexte que je n'avais pas payé l'électricité.

Quand je suis descendu à la cuisine, j'ai tout raconté à Mme Heffley et elle a confirmé que j'avais RAISON au sujet des invités.

D'ailleurs, elle m'a laissé choisir mes pancakes en premier.

Après le petit déj', elle a dit qu'on avait fait trop d'écran hier et qu'on devait trouver une autre activité jusqu'au déjeuner.

Comme Greg était de mauvaise humeur, j'ai voulu lui changer les idées avec une blague de monsieur-madame. Mais il a fait exprès de m'ignorer.

Je lui ai dit que si c'était comme ça, j'allais
dire à sa mère qu'il ne m'écoutait pas. Ça
l'a décidé à répondre.

COMMENT IL
S'APPELLE ?

J'ai refusé de lui donner la solution, alors il
s'est énervé et m'a dit que, de toute façon,
il s'en fichait.

Il m'a traité de gros crétin et j'ai menacé
de rapporter à nouveau. Greg a crié : Eh
ben, vas-y ! Alors, c'est ce que j'ai FAIT.

Mme Heffley lui a rappelé qu'il n'avait pas le droit de me traiter de crétin, de pauvre tache ou quoi que ce soit d'autre.

Dès qu'elle a tourné les talons, Greg m'a annoncé mon nouveau surnom. Au début, j'ai trouvé qu'il sonnait BIEN. Puis j'ai compris ce qu'il voulait dire.

SALUT, DEBOS.

J'étais sur le point de RETOURNER voir sa mère mais Greg s'est rattrapé en expliquant que c'était la Journée à l'Envers et qu'il disait le CONTRAIRE de ce qu'il voulait dire.

Là, je savais qu'il sous-entendait STUPIDE et j'ai foncé voir Mme Heffley. Sauf qu'elle ne s'est pas fâchée parce qu'elle ignorait que c'était la Journée à l'Envers.

Je lui ai expliqué et elle a ordonné à Greg
de s'excuser. Mais si ça se trouve, il a fait
tout le contraire.

Mme Heffley nous a dit qu'il était normal
de se taper sur les nerfs entre amis,
mais qu'on devait arrêter de se disputer
sans arrêt, parce qu'on avait encore une
journée devant nous.

Elle a suggéré qu'on passe un moment chacun de son côté et j'en ai profité pour traîner avec Manu dans sa chambre.

Je m'amusais bien, n'empêche que mes parents me manquaient et que je regardais leur photo toutes les cinq minutes.

Je n'ai revu Greg qu'au déjeuner. Mme Heffley nous avait préparé des sandwichs. Elle s'était même souvenue d'enlever la croûte du mien.

Quand on a eu fini nos sandwichs, elle nous a servi des cookies pour le dessert. Greg en a eu un et moi DEUX parce que j'étais l'invité, et que les invités ont droit à un traitement de FAVEUR.

Tout en mangeant le premier, j'ai fait un rempart avec mes bras pour protéger le deuxième. Dès que j'ai un goûter qui lui plaît, Greg s'arrange pour le lécher histoire de m'en dégoûter.

C'est ce qu'il avait fait au dernier Halloween
quand j'avais eu plus de bonbons que lui.

Cette fois, il a annoncé qu'il n'avait plus
faim et qu'il se FICHAIT de mon cookie.
Ensuite, il m'a dit que pendant que je jouais
avec Manu, il avait lu un livre de magie et
qu'il voulait me montrer un tour. Comme
j'adore la magie, j'ai dit OK.

D'abord, il m'a fait poser les index au bord
de la table, comme ceci.

Puis il a pris mon verre de lait et l'a posé
sur mes doigts.

Je lui ai demandé ce qu'il y avait de magique
là-dedans, et il m'a dit : Tu vois bien, tu
ne peux plus bouger. Il avait raison : si je
remuais, je renversais le verre de lait. Et
M. Heffley déteste qu'on renverse des
trucs chez lui.

Ensuite, Greg a dit que maintenant, il allait
faire le VRAI tour de magie. Il m'a piqué
mon cookie et l'a avalé.

Il est monté dans sa chambre en me laissant à la cuisine. Je suis resté coincé là pendant une demi-heure, jusqu'au retour de Mme Heffley.

Je lui ai tout raconté et ça l'a mise hors d'elle. Pas à cause du tour de magie mais parce que Greg avait volé un truc qui m'appartenait.

On est montés et elle m'a dit que je pouvais choisir un jouet de son fils et le rapporter chez moi pour qu'on soit quittes.

Il faut savoir que Greg a un PAQUET de jouets trop cool qu'il ne me laisse même pas toucher, alors c'était dur de choisir. Surtout que dès que je m'approchais de l'un d'eux, il me faisait signe de chercher autre chose.

Finalement, j'ai opté pour un chevalier manchot et Greg a eu l'air d'accord.

Mais dès que sa mère a tourné le dos, il m'a dit que je n'avais qu'à jouer avec mon chevalier tout nul et que lui, il allait s'amuser avec ses jouets trop cool.

Du coup, pour l'embêter aussi, j'ai fait semblant de m'amuser à FOND avec mon chevalier.

Et vous savez quoi ? Ça a marché. Greg m'a ordonné de lui rendre la figurine. Comme j'ai refusé, il a dit qu'il allait attendre que je sois endormi pour la récupérer.

Bon courage, j'ai dit, parce que je vais la ranger dans mon slip. Ça a suffi à le décourager.

Du coup, il a proposé de M'ACHETER le chevalier. Je lui ai demandé combien il me donnerait et il a répondu deux cents. Alors j'ai dit OK.

Là-dessus, il est allé chercher une chaussette sale et il me l'a mise sous le nez.

J'ai fait genre : Nan, mais c'est quoi, ça ? Il a répliqué que c'était mon premier « sens » !

J'ai précisé que j'avais accepté deux CENTS dollars, pas de SEN-tir une chaussette ! Mais il n'a rien voulu savoir et il m'a apporté une deuxième chaussette à renifler. Pour que ça fasse deux « sens ».

Évidemment, j'ai À NOUVEAU menacé de rapporter, alors il m'a proposé son dragon en échange du chevalier, et j'ai accepté puisque qu'un dragon est mille fois mieux qu'un chevalier manchot.

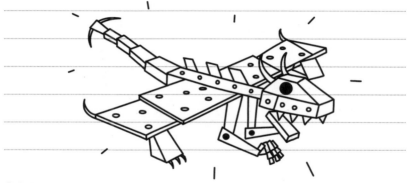

Quand je lui ai filé ma figurine, il ne voulait plus lâcher son dragon et pour se justifier, il m'a rappelé que c'était toujours la Journée à l'Envers.

Alors là, c'était la goutte d'eau. J'ai essayé de lui arracher le dragon, mais les pattes m'ont glissé des mains et il s'est fracassé sur le sol.

CRAC   CRAC

On a dû faire beaucoup de bruit, parce que la seconde d'après, Mme Heffley était de retour dans la chambre. Elle a déclaré qu'elle allait nous séparer, ce qui m'allait TRÈS BIEN.

Elle a décrété qu'on allait passer la nuit chacun dans une moitié de la chambre et elle m'a demandé laquelle je préférais. J'ai choisi celle avec le LIT et j'ai bien vu que Greg était furieux.

Quand elle est partie, Greg a annoncé qu'il allait générer une cloison invisible entre nos deux moitiés.

Si l'un de nous cherchait à la franchir, il se prendrait un coup de jus.

Puis il a ajouté que ça l'arrangeait bien que j'aie choisi le lit parce qu'il allait pouvoir dormir sur le matelas gonflable, et que les affaires les plus cool étaient dans SA partie. J'ai tendu le bras pour récupérer au moins ma figurine et je me suis pris un coup de jus.

J'ai ouvert le tiroir de la table de nuit pour voir s'il y avait des BD. La réponse était non, mais j'ai trouvé un vieux jeu électronique.

J'y ai joué, sans que Greg puisse m'en empêcher à cause de la cloison invisible.

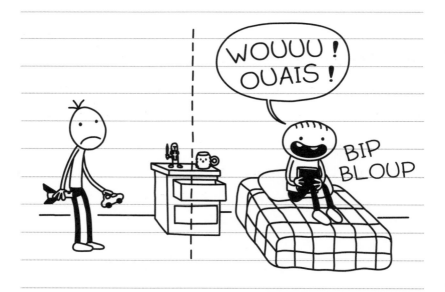

Il a fini par dire que je pouvais continuer à « faire joujou comme un blaireau » car lui, de SON côté, il organisait une fête de la MORT. J'étais un peu vert parce que, en effet, sa fête avait l'air bien sympa.

J'ai dit que dans ce cas, moi aussi j'organisais une fête encore plus DÉLIRANTE et avec de la PURE musique. Greg m'a dit que je le copiais tout le temps et que je n'avais aucune personnalité. Entre nous, je suis persuadé qu'il était jaloux.

C'est alors qu'il m'a appris que la prise de mes enceintes était de SON côté de la chambre, et il l'a débranchée pour éteindre la musique.

Il a recommencé à danser et je lui ai crié de me rebrancher tout de suite, sauf qu'il n'entendait rien à cause de sa musique.

M. Heffley a débarqué dans la chambre et
Greg ne l'a même pas remarqué.

Son père a crié qu'il ne voulait plus entendre
une mouche voler et il est parti. On est
restés muets un moment, puis Greg a
essayé de me faire rigoler et ça a presque
marché.

En vérité, j'étais content qu'on se calme, parce que je commençais à être fatigué et que j'avais envie de dormir.

J'ai voulu aller me laver les dents mais Greg m'a dit que la cloison invisible était toujours active. J'étais coincé de mon côté jusqu'à demain matin.

Je lui ai demandé s'il pouvait la désactiver juste le temps que je me brosse les dents et il a expliqué que c'était impossible : la cloison invisible resterait active toute la nuit.

Puis il est parti à la salle de bains, tranquille, et il est revenu avec l'haleine fraîche.

Je me suis alors souvenu d'un truc : je dois ABSOLUMENT faire pipi avant de me coucher si je veux éviter les accidents.

Greg m'a dit que j'allais devoir me retenir. Je lui ai expliqué que je n'y ARRIVERAIS pas et il a répondu que c'était pas son problème.

J'ai dû lui annoncer que, dans ce cas, je serais obligé de faire pipi dans la tasse Chewbacca sur la table de nuit, et c'est là qu'il m'a avoué qu'il avait un couteau invisible spécial cloisons invisibles.

Il m'a montré comment l'utiliser en découpant un rectangle dans la cloison juste au niveau de la tasse.

Puis il a passé le bras à travers le trou et l'a chopée.

Je lui ai demandé de découper une ouverture à ma taille pour que je puisse aller aux toilettes.

Le hic, c'est que la batterie de son couteau invisible s'était déchargée quand il avait découpé son PROPRE trou. Dommage pour moi.

Là-dessus, il s'est mis à évoquer des trucs qui me donnaient envie de faire pipi.

Il a fini par s'endormir. J'ai bien envisagé d'aller discrètement au petit coin, mais j'avais peur qu'il ne fasse semblant de dormir et de me prendre un coup de jus.

Je me suis endormi moi aussi et je me suis réveillé EN PANIQUE à six heures du matin avec l'impression d'être au bord de l'EXPLOSION.

Je n'avais plus rien à faire de la cloison, mais je risquais de réveiller le père de Greg en allant aussi tôt aux toilettes. J'aurais mieux fait d'y aller parce que M. Heffley était déjà réveillé.

Coup de bol, il n'a pas levé les yeux assez vite pour me voir à la fenêtre. Et quand il est arrivé dans la chambre, j'étais au fond de mon lit.

Je me suis rendormi un peu et je me suis levé quand Mme Heffley nous a appelés pour le petit déj'.

Après, je suis remonté chercher mon chevalier manchot dans la chambre, sauf qu'il était INTROUVABLE.

Greg ne voyait pas DU TOUT ce qui avait pu se passer, mais sa mère l'a obligé à chercher.

Entre nous, il n'a pas été d'une grande aide.

Sa mère devait le soupçonner d'avoir caché la figurine, parce qu'elle lui a dit que s'il ne me rendait pas le chevalier dans deux minutes, il allait avoir de gros ennuis.

Il a répondu qu'il passait juste aux toilettes et qu'après, il recommencerait à fouiller. Sauf que j'ai remarqué qu'il serrait un truc dans sa main au moment où il sortait.

Il a fermé la porte des WC à clé et sa mère lui a ordonné d'ouvrir SUR-LE-CHAMP. On a entendu la chasse et quand Greg a ouvert la porte, sa main était vide.

Sa mère l'a obligé à m'offrir TROIS jouets et cette fois, j'en ai choisi des PAS cassés.

Mes parents sont venus me chercher à midi et j'étais TELLEMENT content de les voir. PS : Si vous voulez la solution de la blague de monsieur-madame, c'est « Jacques ». Jacques Célaire.

LES AVENTURES
DE GREG ET ROBERT

Voilà, je crois que vous êtes à jour sur mon pote Greg. Je lui ai montré ce que j'avais écrit en pensant que ça lui plairait, mais ça l'a ÉNERVÉ.

Il a dit que ce bouquin devait être sur LUI pas sur MOI. J'ai répondu que ce n'était pas évident d'écrire des trucs QUE sur lui vu qu'on faisait presque tout ENSEMBLE.

Il a décidé qu'il allait corriger tout le livre et virer les passages avec moi. Je lui ai fait remarquer que ce serait un peu ridicule vu qu'après, il ne resterait que, genre, une page.

J'ai proposé de remplacer le titre par *Les Aventures de Greg et Robert* pour que ça devienne NOTRE biographie.

Puis j'ai eu une idée : puisque le bouquin contenait plein de scènes flippantes, on pouvait en faire une série policière sur deux potes qui résolvent des mystères ! On se ferait plein de fric et on deviendrait célèbres TOUS LES DEUX.

Greg a rétorqué qu'il n'avait jamais rien entendu d'aussi stupide.

Il m'a expliqué que ce livre était SON histoire et qu'il suffirait de remplacer mon nom par Rodolph, par exemple, pour ne RIEN me devoir. Et que Rodolph serait une grosse tache qui bave tout le temps.

Il a ajouté qu'en plus, le livre avait une drôle d'odeur et quand j'ai voulu l'approcher de mon nez pour le sentir, il me l'a écrasé en pleine face.

Je lui ai demandé POURQUOI il faisait ça et il a répondu que c'était pour la fois où je l'avais flanqué dans la flaque d'eau.

Et que, comme prévu, sa vengeance était arrivée quand je m'y attendais le moins.

J'étais bien énervé, alors à mon tour, je lui ai mis un coup de biographie dans la face.

Lui non plus ne s'y attendait pas. Il a perdu l'équilibre et s'est vautré dans une flaque.

Me voici donc dans ma chambre et j'espère
que Mme Heffley ne va pas tarder à
l'appeler pour aller dormir vu qu'il a déjà
loupé le dîner.

La bonne nouvelle avec tout ce qui s'est
passé aujourd'hui, c'est que j'ai pu écrire
un nouveau chapitre entier. Je sais qu'on
redeviendra potes dès demain et qu'on
vivra plein d'autres aventures que je
pourrai vous raconter.

Et si on part sur mon idée de série policière, je parie qu'on en vendra plusieurs millions d'exemplaires.

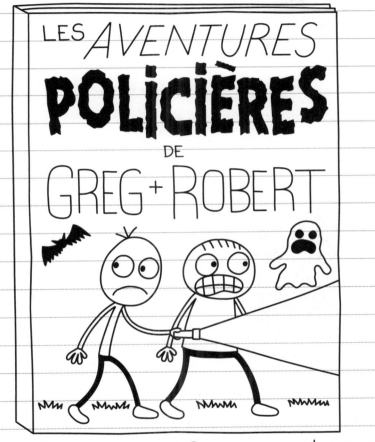

Une précision au cas où Greg me remplacerait par Rodolph : LUI AUSSI a fait pipi dans son pyjama le premier soir où j'ai dormi chez lui.

Retour à ma biographie à moi

Puisque cette bio ne plaît pas à Greg, autant revenir à mon idée de départ : écrire mon PROPRE journal.

Me revoici donc le héros de ce bouquin. À partir de maintenant, je ne parlerai que de moi, de mes parents et peut-être une fois ou deux de Mme Beck, si j'ai la place.

En parlant de mes parents, après ma dernière dispute avec Greg, ils sont venus me voir dans ma chambre.

ROBERT, IL EST TEMPS QUE TU TROUVES DE NOUVEAUX AMIS.

Mais comment ajouter de nouveaux amis dans ma vie ? Greg occupe déjà tout mon temps.

Je sais qu'on ne s'entend pas toujours super bien et que, comme l'a dit Mme Heffley, on se tape parfois sur les nerfs.

On se tape même SOUVENT sur les nerfs, mais ça prouve seulement qu'on est

MEILLEURS

TAP !

POTES